Acheter avec l'aide financière du
Ministère de la Culture, du Touri
et des loisirs ainsi qu'Héritage

TON VOYAGE À TRAVERS LE

Mexique

Barbara Bulmer-Thomas – Christel Delcoigne

Éditions Gamma – Les Éditions École Active

L'édition originale de cet ouvrage
a paru sous le titre : *Journey Through Mexico*
Copyright © Eagle Books Ltd, 1991
All rights reserved

Adaptation française de C. Delcoigne
Copyright © Éditions Gamma, Tournai, 1991
D/1991/0195/94
ISBN 2-7130-1242-2
(édition originale : ISBN 1-85511-012-1)

Exclusivité au Canada :
Les Éditions École Active,
2244, rue Rouen, Montréal H2K 1L5
Dépôts légaux, 3e trimestre 1991
Bibliothèque nationale du Québec
Bibliothèque nationale du Canada
ISBN 2-89069-319-8

Imprimé en Italie

Origine des photographies :

J. Allan Cash : page 13 (à gauche); Geos-
cience Features : page 25; Robert Harding :
page 14; Hutchison : pages 6-7 (en haut), 9
et 27; Mexicolore : pages 26-27; Popperfo-
to : page 21; South America Pics : pages 6-7
(en bas), 8-9, 10, 11, 12-13, 15, 18-19, 19 et
23; ZEFA : couverture et pages 1, 16, 17, 18,
20-21, 22, 28, 29 et 30.

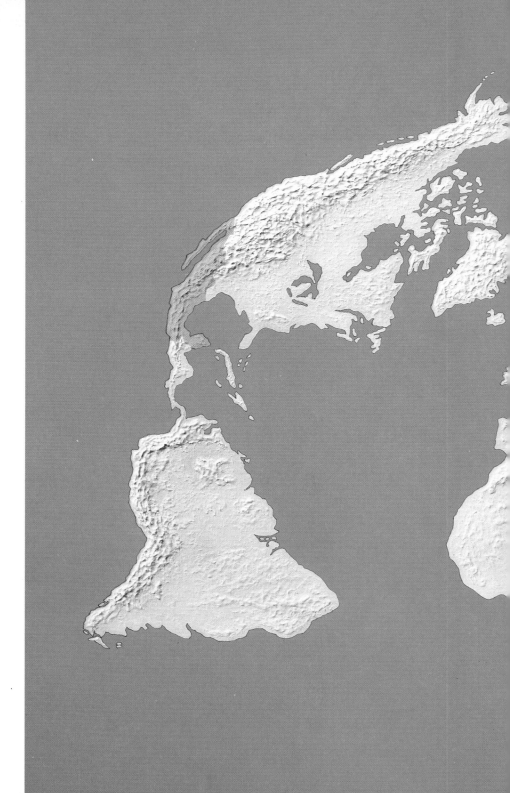

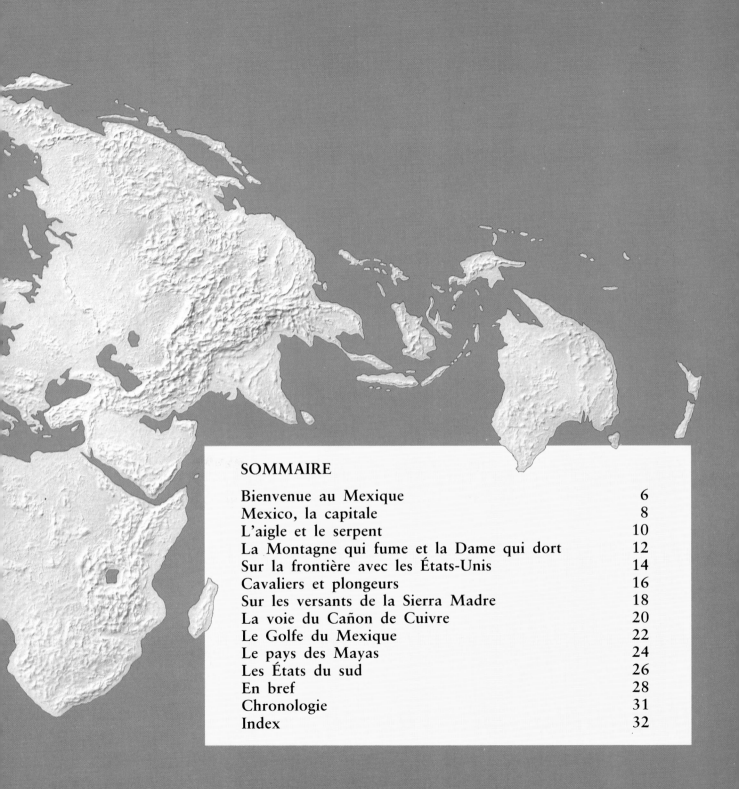

SOMMAIRE

Le Mexique

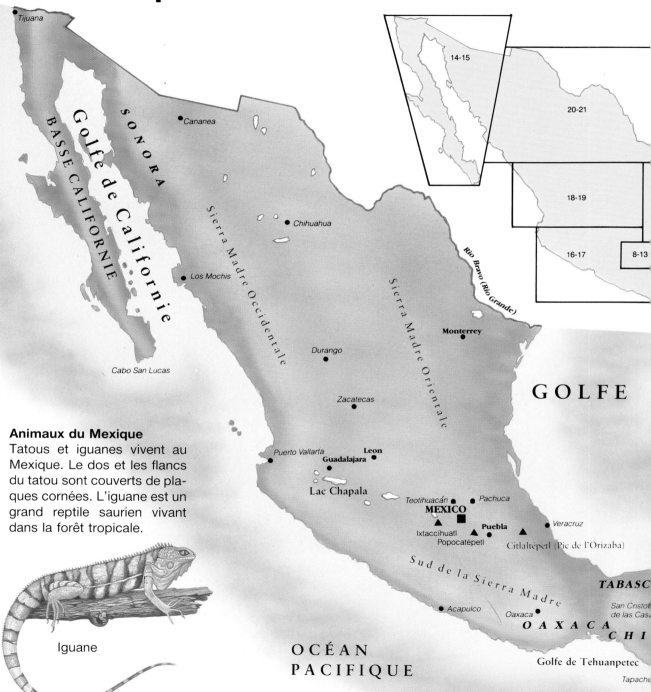

Tijuana

Cananea

Chihuahua

Los Mochis

Golfe de Californie

BASSE CALIFORNIE

SONORA

Sierra Madre Occidentale

Sierra Madre Orientale

Río Bravo (Río Grande)

Cabo San Lucas

Durango

Monterrey

Zacatecas

GOLFE

Animaux du Mexique
Tatous et iguanes vivent au
Mexique. Le dos et les flancs
du tatou sont couverts de pla-
ques cornées. L'iguane est un
grand reptile saurien vivant
dans la forêt tropicale.

Puerto Vallarta

Leon

Guadalajara

Lac Chapala

Teotihuacán

Pachuca

MEXICO

Puebla

Veracruz

Ixtaccíhuatl

Popocatépetl

Citlaltépetl (Pic de l'Orizaba)

Sud de la Sierra Madre

TABASC

Acapulco

Oaxaca

San Cristo
de las Casa

O A X A C A

C H I

Golfe de Tehuanpetec

Tapach

OCÉAN
PACIFIQUE

Iguane

14-15

20-21

18-19

16-17

8-13

4

◁ Dans ce livre, nous allons nous rendre au Mexique. Les chiffres repris sur la petite carte indiquent les pages qui traitent de cette partie du Mexique.

Le drapeau mexicain est rayé de vert, de blanc et de rouge et porte en son centre l'emblème national: l'aigle, le serpent et le cactus. L'hymne national, en mexicain *Himno Nacional*, a été composé par Boccanegra au XIXe siècle.

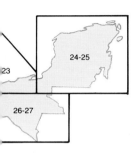

Tatou

DU MEXIQUE

QUELQUES DONNÉES

Superficie: 1 967 000 km²

Population: 88 087 000 habitants, le plus grand groupe d'hispanophones au monde

Capitale: Mexico, 18 000 000 d'habitants

Autres villes principales:
Guadalajara, 2 245 000 habitants;
Monterrey, 1 916 000 habitants;
Puebla, 836 000 habitants

Point culminant: Citlaltépetl ou pic d'Orizaba, 5 699 m

Fleuves les plus longs: Rio Bravo (ou Rio Grande), 3 030 km; Rio Lerma Santiago, 1 010 km

Lac le plus grand: lac Chapala, 1 080 km²

Bienvenue au Mexique

Le Mexique est fait de merveilleux contrastes. Si tu le survoles, tu passeras de montagnes aux têtes enneigées à un littoral tropical et chaud. Si tu le visites en bus ou en train, tu passeras des déserts de poussière du nord aux forêts tropicales et humides du sud.

La plupart des Mexicains sont des *mestizos*, de sangs indien et espagnol mélangés. Les Mexicains sont fiers de leurs origines indiennes. Des tribus indiennes ont vécu ici il y a des milliers d'années, avant l'arrivée des premiers Européens. Il y a moins de 500 ans qu'a eu lieu la conquête du Mexique par les Espagnols.

De nombreux Indiens parlent toujours leur langue. Mais, comme chacun au Mexique, ils parlent également l'espagnol. Quelques termes indiens ont intégré l'espagnol ainsi que l'anglais. Il s'agit pour la plupart de noms d'aliments qui ont été découverts au Mexique, par exemple les tomates, l'avocat et le chocolat.

Les chaînes montagneuses de la Sierra Madre se profilent comme deux épines dorsales tout le long du Mexique. Certaines de ces montagnes sont des volcans entre lesquels se cachent des hauts plateaux. Au Mexique, c'est l'altitude qui définit le climat : plus tu grimpes et plus il fait froid. La majeure partie des grandes villes est concentrée dans un haut plateau au centre du pays.

Tijuana, sur la frontière du nord, et Tapachula, au sud, sont distantes de plus de 4 000 km par la route. Dans les aéroports, stations de bus et gares, les gens paient leurs tickets en *pesos*, la monnaie mexicaine.

▷ Le Mexique est le pays des montagnes et des volcans. Les sommets du Nevado de Toluca (4 577 m) sont perpétuellement enneigés. Ce volcan éteint fait partie de la plus haute chaîne montagneuse du pays.

6

△ Une célébration du temps de Pâques. Les festivals sont très importants au Mexique. Les grands spectacles costumés peuvent durer plusieurs jours. Souvent, ils mêlent les traditions chrétiennes et indiennes.

▷ Les Zinacantecos vivent dans l'État de Chiapas, au sud. Ils portent des *serapes* en laine rayés ou des châles, et des pantalons courts.

Mexico, la capitale

C'est généralement par des vols directs que les touristes étrangers arrivent à l'aéroport mouvementé de Mexico.

Tu ne trouveras au monde aucune ville qui soit plus peuplée et dont la croissance soit aussi rapide qu'à Mexico. Plus de 16 millions de personnes vivent dans la région. On estime qu'à l'aube de l'an 2000, il y en aura plus de 30 millions. La ville se situe à 2 240 m. À pareille altitude, l'air se raréfie. Il faut un certain temps aux visiteurs pour qu'ils s'y acclimatent, surtout si l'on tient compte du fait que cet air est pollué par les smogs industriels et les fumées de millions de voitures. Avec les montagnes environnantes, les fumées sont prises au piège et forment une couverture blanche.

La ville de Mexico est pleine de contrastes. Tu y verras de beaux bâtiments anciens de style espagnol aux côtés de gratte-ciel modernes. Un peu plus loin, ce sont des marchés très colorés qui pétillent de vie. Au carrefour suivant, ce sera les grands magasins couvrant plusieurs blocs. Tu peux également y voir les séquelles du terrible séisme de 1985. Il a laissé derrière lui des quartiers entiers en lambeaux.

Un Mexicain sur cinq vit à Mexico. La plupart habitent des appartements modernes. Les familles restent généralement proches. Souvent, les jeunes vivent chez leurs parents jusqu'au mariage. Les écoliers se rendent d'ordinaire à l'école dès 8 heures et rentrent à 13 heures.

Le football est le sport le plus populaire au Mexique. Les corridas sont toujours d'actualité. La gigantesque arène de Mexico est la plus grande du monde. Elle peut accueillir environ 50 000 personnes.

▷ Mexico est souvent couverte de smog. Le séisme de 1985 a causé à la ville d'importants dommages. Elle en porte encore les séquelles.

◁ Les enfants du Mexique organisent une fête pour Noël qui inclut la *piñata*. Il s'agit d'un personnage ou d'un animal en papier mâché, rempli de bonbons ou de jouets. Cette piñata est suspendue au plafond. Un des enfants doit, les yeux bandés, la frapper avec un baton et la casser au bout de trois essais.

▽ L'arène géante de Mexico. Pour beaucoup de Mexicains, la tauromachie n'est pas un sport. Ils estiment que c'est un art, dans lequel les toréadors opposent au taureau leur courage et leur habileté.

9

L'aigle et le serpent

Pour atteindre le centre de Mexico, tu peux prendre le bus ou le métro. C'est là que la grande cité a vu le jour, il y a environ 600 ans. Une tribu d'Indiens nomades, les Aztèques, était à la recherche d'un lieu pour s'établir. Selon la légende indienne, le grand prêtre leur a dit qu'ils devaient construire une ville là où ils trouveraient un aigle dévorant un serpent sur un cactus. En 1325, ils finirent par voir le fameux rapace sur une île au beau milieu d'un lac.

C'est donc là que les Aztèques ont construit la capitale d'un grand empire qu'ils appelèrent Tenochtitlán et qui allait devenir la ville actuelle de Mexico. L'aigle et le serpent sont l'emblème du drapeau national mexicain. On les retrouve également sur les billets de banque, les pièces de monnaie et les motifs tissés un peu partout au Mexique.

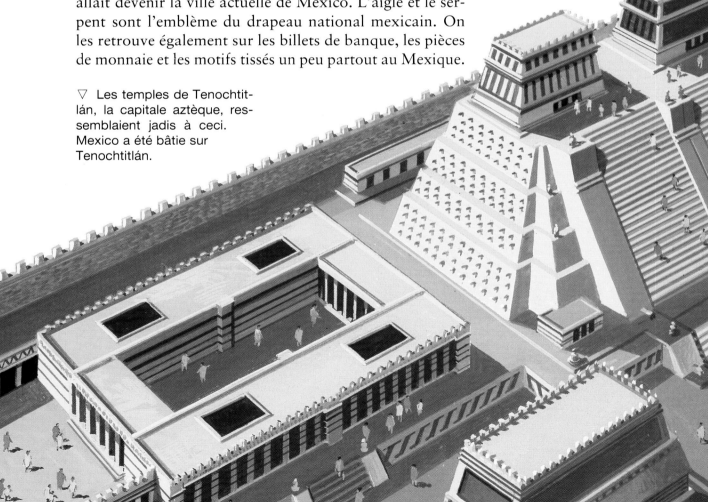

▽ Les temples de Tenochtitlán, la capitale aztèque, ressemblaient jadis à ceci. Mexico a été bâtie sur Tenochtitlán.

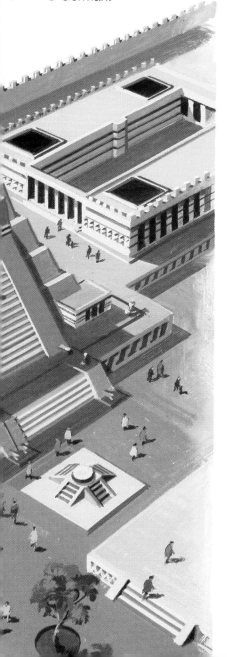

◁ La bibliothèque de l'université de Mexico. Elle est couverte d'un *mural*, ou peinture murale, œuvre de Juan O'Gorman.

Quelque 200 ans plus tard, un visiteur venu de la lointaine Espagne arriva à cheval, vêtu d'une armure. Il s'appelle Hernán Cortés. Montezuma, l'empereur aztèque – qui n'avait jamais vu de cheval – se fit un honneur d'inviter Cortés. Mais Montezuma fut fait prisonnier par les soldats espagnols qui anéantirent la ville aztèque. Cortés construisit alors un nouvel empire, espagnol cette fois. L'emprise espagnole dura jusqu'en 1821, date de l'indépendance mexicaine.

Une partie des vestiges aztèques fut seulement retrouvée récemment, lors de la construction du métro. Si tu te rends à la gare de Montezuma, tu pourras admirer ces vestiges et penser ainsi aux grands événements du passé. Mais ne rêve pas trop longtemps. Les heures de pointe connaissent une confusion sans pareille. Certaines des stations les plus fréquentées doivent prévoir des entrées spéciales pour les femmes et les enfants. Ceux-ci sont accompagnés par des gardiens armés qui les protègent.

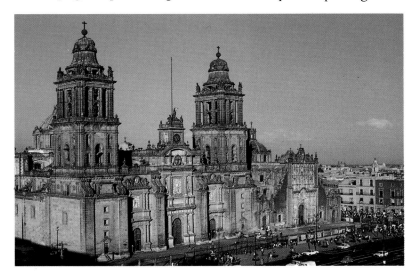

△ La cathédrale de Mexico se dresse sur l'immense Zocalo, l'une des plus grandes places publiques du monde.

11

La Montagne qui fume et la Dame qui dort

Par temps clair, il est possible d'apercevoir depuis le centre de Mexico les sommets enneigés de deux volcans. Il s'agit du Popocatépetl (terme indien signifiant « La Montagne qui fume ») d'une altitude de 5 452 m et d'Ixtaccíhuatl (« La Dame qui dort ») qui atteint 5 286 m. La dernière grande éruption du Popocatépetl s'est produite en 1802. Aujourd'hui, les deux volcans sont assoupis.

Si tu souhaites les escalader, tu peux prendre un bus jusqu'au Parc National qui les entoure. Moyennant des conditions climatiques favorables et un bon équipement, tu pourras atteindre le bord du cratère du Popocatépetl. C'est ici que Cortés fit descendre ses hommes pour chercher du soufre servant à la poudre à canon.

Pareille expédition te prendra une journée. Aussi, ton guide mexicain pourra te conter la légende des montagnes. Jadis, Popocatépetl était un guerrier et Ixtaccíhuatl, la superbe fille de l'empereur aztèque. Ixta pensait que Popo avait été tué. Elle en mourut de chagrin. Lorsque Popo revint, il alla poser la défunte sur une montagne et veilla sur sa dépouille en tenant une torche. Ainsi naquit la légende de la Montagne qui fume et de la Dame qui dort.

À Mexico, tu peux prendre un bus vers le nord, pour Pachuca, la capitale de l'État de Hidalgo. Cette vieille ville est nichée sur le versant d'une montagne. Cette montagne cache un métal noble et précieux : l'argent. C'est ici que les Aztèques ont, pour la première fois, creusé les mines qui devinrent ensuite possession des Espagnols. Pachuca, avec ses chemins sinueux et raides et ses petites places publiques appelées *plazas*, possède toujours la plus grande réserve minière d'argent au monde.

Les montagnes du Mexique sont riches en autres métaux et minerais, tels le zinc, le plomb, le mercure et, le plus prisé de tous : l'or.

△ Les deux volcans : Popocatépetl et Ixtaccíhuatl. Popo lâche parfois une spirale de fumée, mais ces volcans ne sont plus entrés en éruption depuis longtemps.

▷ Un orfèvre au travail. L'argent à l'état pur est souple et facile à modeler. C'est le plus blanc des métaux. Il est très populaire pour son emploi en bijouterie.

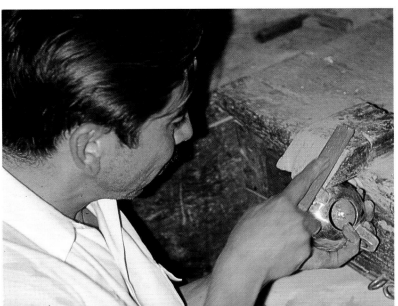

△ La Pyramide du Soleil sur un site pré-aztèque, à Teotihuacán

13

Sur la frontière avec les États-Unis

En prenant l'avion à Mexico pour le grand nord du pays, tu survoles les chaînes de montagne de la Sierra Madre et le Golfe de Californie. Là, une des villes les plus connues est Tijuana, près des États-Unis. C'est ici que des millions de personnes franchissent la frontière chaque jour.

Une grande partie de ce qui appartient désormais aux États-Unis – c'est-à-dire l'État du Texas, d'Arizona et de Californie – a appartenu autrefois au Mexique. Les États-Unis ont revendiqué ces États après leur victoire dans la guerre du Mexique en 1848.

▷ On récolte principalement du maïs, ainsi que du blé et du coton. Des fermiers sont en train de couper du maïs.

▽ La ville de Cananea se trouve dans l'État de Sonora, au sud des États-Unis. Ici, l'industrie est entourée d'un paysage désertique.

▽ Une baleine grise femelle et son baleineau. Au printemps, les baleines quittent la Basse Californie pour rejoindre les mers arctiques où elles pourront s'alimenter une fois l'été venu.

À l'est de Tijuana, le Gran Desierto – ou le Grand Désert – s'étend sur 200 kilomètres le long de la frontière avec l'Arizona. Des dunes de sable à l'infini et des montagnes volcaniques donnent au paysage les allures arides d'une surface lunaire. À l'opposé, le sud de l'État de Sonora offre à l'agriculture une terre pleine de richesses avec de vastes champs de céréales.

L'autoroute n° 1 commence à Tijuana et descend toute la péninsule de la Basse Californie. Elle traverse Guerrero Negro, une petite ville qui possède une implantation moderne de désalinisation – il s'agit d'une usine qui extrait le sel de la mer. Ici, tu peux admirer les baleines grises dans les eaux où elles se reproduisent. Ces baleines comptent parmi les plus grands mammifères de la planète. Tous les ans, elles entament un voyage de 8 000 kilomètres depuis l'Alaska jusqu'au Mexique. C'est dans les baies et lagons qui longent la côte accidentée de la Péninsule que naissent les baleineaux qui vivent ensuite sous la protection de leur mère. Des voyages organisés te permettront d'aller voir évoluer les baleines sans les déranger.

Cavaliers et plongeurs

Un ferry t'emmènera de Cabo San Lucas à travers les eaux du Pacifique jusqu'à Puerto Vallarta. Là, un bus te fera traverser la campagne jusqu'à Guadalajara, la deuxième grande ville mexicaine.

Le Mexique est un pays où l'élevage se pratique à grande échelle. Un des loisirs favoris est le *charreada*, une version mexicaine du rodéo. C'est l'occasion pour les cavaliers de prouver leurs talents. Vêtus d'un costume brodé, un chapeau à larges rebords sur la tête – le *sombrero* –, ces cow-boys arrivent dans l'arène à cheval. En galopant à toute allure aux côtés d'un *bronco*, un cheval sauvage non sellé, ils essaient de sauter sur le dos de la bête et de la monter en aggripant sa crinière.

De Guadalajara, il est possible de prendre un train ou un avion jusqu'à l'une des plus célèbres stations balnéaires du monde : Acapulco. À l'époque des colonies espagnoles, il s'agissait d'un port important. Aujourd'hui, les gens s'agglutinent sur les belles plages d'Acapulco pour jouir du soleil et de la grande bleue.

▷ À la Quebreda, les célèbres plongeurs d'Acapulco se jettent du haut d'une falaise dans une mer rocheuse. Il faut que leur plongeon coïncide avec l'arrivée d'une vague afin qu'il y ait suffisamment d'eau et qu'ils ne heurtent pas le fond. Il faut en outre qu'ils quittent la mer sans se fracasser contre les rochers.

▷ Les Mexicains apprécient énormément le cheval. Le Mexique est réputé pour ses races croisées. Les chevaux que les explorateurs espagnols ont laissés derrière eux au Mexique sont probablement les ancêtres des chevaux sauvages d'Amérique. Les cow-boys portent souvent des *pantalons de cuir* au-dessus de leurs vêtements. Ils ont pour but de protéger les jambes des broussailles épineuses et des frottements pendant les longues heures en selle.

Sur les versants de la Sierra Madre

En poursuivant vers le nord par la route ou le rail, tu arrives à Zacatecas. La ville est très belle avec ses vieux bâtiments et ses ruelles pavées. À une altitude de 2 496 m, elle domine la Sierra Madre occidentale. Les Espagnols ont fondé cette ville en 1546. Ils avaient trouvé de l'argent dans les montagnes voisines.

Toujours plus au nord, tu trouveras Durango, centre industriel de grande importance. Tout cinéphile qui se respecte visite les environs de la ville où de nombreux films occidentaux ont été tournés. Toutefois, il s'agit de prendre garde aux scorpions et ce, où que l'on aille. En effet, une espèce de scorpion de couleur blanche vit dans la région. Ses piqûres peuvent être mortelles.

Dans toutes les villes de campagne, la place principale ou publique est le centre des affaires et de la vie sociale.

△ La place publique des villes mexicaines est un endroit très vivant. En général, les bâtiments les plus importants de la ville se situent autour de la place.

◁ Un orchestre *mariachi*, avec trompette, guitares et violons. La musique rythmée des mariachi retentit dans les rues et les places de tout le Mexique.

▷ Des *tortillas* servies avec de la viande et des saucisses. Ces crêpes au maïs se dégustent nature, frites ou grillées. En général, elles ne sont que l'une des parties du repas au restaurant.

18

Les bâtiments importants, boutiques et restaurants sont regroupés autour de la plaza. Les gens s'y réunissent pour bavarder, boire et manger. Beaucoup d'établissements ferment entre 14 et 15 heures. C'est la *siesta*, la période la plus chaude de la journée, réservée au repos.

Dans les restaurants mexicains, tu trouveras les repas plutôt longs. Ils se déroulent en plusieurs étapes. Un des plats les plus courants au Mexique est la *tortilla*, une fine crêpe de maïs. On la sert souvent avec une garniture de viande, de légumes, de fromage et d'épices. Pour une famille mexicaine pauvre, les tortillas et *frijoles* (haricots) constituent généralement un repas complet.

Le *mole poblano* est un mets populaire de fêtes basé sur une vieille recette indienne. Il contient beaucoup d'ingrédients comme les épices fortes et le chocolat.

La voie du Cañon de Cuivre

Si tu franchis les montagnes de la Sierra Madre en direction de la côte Pacifique, tu passeras 13 heures inoubliables dans le train. La voie du Cañon de Cuivre démarre à Los Mochis près de la côte, traverse de vastes cañons et franchit de hauts sommets pour finalement arriver dans les plaines de Chihuahua.

La ligne passe sous 90 tunnels et sur 30 ponts. Elle grimpe jusqu'à 2 480 m. Par la fenêtre de ton compartiment, tu vois défiler une étonnante variété de paysages, depuis les forêts de palmiers et de bambous jusqu'aux plateaux arides où poussent les cactus, en passant par les roches, les gorges et les collines couvertes de pinèdes. Le Cañon de Cuivre (*Barranca del Cobre*) est formé d'une série de gorges profondes de 1 200 m et larges de 1 500 m. Tu peux même apercevoir quelques Indiens Tarahumara vivant en petits groupes dans la région. Avant la conquête espagnole, ils occupaient bon nombre de territoires de l'État de Chihuahua.

Chihuahua est la patrie de Francisco « Pancho » Villa, le chef d'un clan de bandits, célèbres lors de la Révolution mexicaine de 1910-1917. Des chefs tels que Villa et Emiliano Zapata ont lutté pour les gens sans terre qui n'avaient pas de quoi se nourrir. Cette révolution a coûté la vie à des milliers de Mexicains. Heureusement, elle a permis de conquérir un grand nombre de droits dont jouissent désormais les petits fermiers et les travailleurs industriels.

Le rail te conduira ensuite à la ville de Monterrey. C'est là le cœur de l'industrie sidérurgique. L'acier produit ici constitue une matière première pour les usines avoisinantes. Celles-ci fabriquent des voitures, des réfrigérateurs, des lave-linge et bien d'autres produits. Il ne te reste plus que 150 km à parcourir pour atteindre le Rio Bravo del Norte, ou Rio Grande, ce long fleuve qui constitue la frontière entre le Mexique et le Texas aux États-Unis.

△ Francisco « Pancho » Villa (1877-1923) était le chef d'un clan de bandits durant la Révolution mexicaine. Il fut finalement assassiné dans son propre ranch.

△ Le chihuahua est la plus petite race de chien. Son nom vient de l'État mexicain dont il est originaire.

◁ Traversée de l'un des ponts du Cañon de Cuivre. On dénombre au Mexique 25 800 km de rails.

Le Golfe du Mexique

La ville de Veracruz, principal port du Mexique, peut être atteinte par mer, air, terre ou rail. Entre 1 200 et 400 av. J.-C., les Indiens Olmèques habitaient la région ; on y a retrouvé des ruines de temples et de pyramides construits par les Indiens Totonaques. Veracruz fut la première ville fondée par les Espagnols au Mexique en 1519. Située au cœur d'une contrée riche en pétrole, elle possède beaucoup de raffineries et industries. Le transport maritime s'effectue grâce au grand port. Le Mexique est le quatrième pays producteur de pétrole. Lorsque les prix du pétrole étaient élevés, les banques et les gouvernements étrangers étaient ravis de prêter des fonds au gouvernement mexicain. Mais, lors de la chute des prix, le Mexique ne put rembourser sa dette.

△ Derrick dans le Golfe du Mexique. On y a trouvé d'importantes réserves de pétrole dans les années 1970.

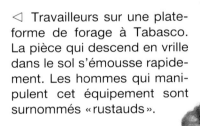

◁ Travailleurs sur une plate-forme de forage à Tabasco. La pièce qui descend en vrille dans le sol s'émousse rapidement. Les hommes qui manipulent cet équipement sont surnommés «rustauds».

▷ La «danse des hommes volants» est une étonnante cérémonie toujours pratiquée par les Indiens Totonaques.

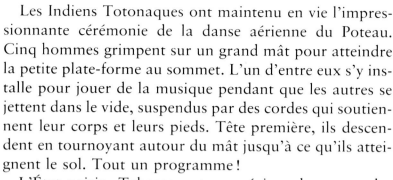

Les Indiens Totonaques ont maintenu en vie l'impressionnante cérémonie de la danse aérienne du Poteau. Cinq hommes grimpent sur un grand mât pour atteindre la petite plate-forme au sommet. L'un d'entre eux s'y installe pour jouer de la musique pendant que les autres se jettent dans le vide, suspendus par des cordes qui soutiennent leur corps et leurs pieds. Tête première, ils descendent en tournoyant autour du mât jusqu'à ce qu'ils atteignent le sol. Tout un programme !

L'État voisin, Tabasco, est une région plane avec des lacs, des fleuves, des marais et une forêt tropicale très dense. Beaucoup d'espèces d'animaux tropicaux vivent ici, tels les crocodiles. On y récolte principalement des bananes, des noix de coco, du cacao, du café et du sucre de canne à des fins commerciales.

△ Pierre monumentale en forme de tête, sculptée par les Indiens Olmèques. On estime qu'elle remonte à 1 000 avant J.-C. La tête fait 2,4 m de haut. Les Olmèques étaient d'excellents graveurs sur jade.

Le pays des Mayas

La presqu'île de Yucatán est formée des États suivants : Campeche, Yucatán et Quintana Roo. Pour rejoindre Campeche par la route de la côte, il faut prendre plusieurs fois le ferry afin de traverser les embouchures des fleuves et les lagons.

La presqu'île est une plaine longue et plane. Une terrible chaleur humide y règne. De grandes surfaces du territoire sont occupées par la forêt tropicale. Avant que l'on ne construise des réseaux routiers et ferroviaires convenables – il y a 30 ans de cela – le Yucatán semblait complètement séparé du reste du pays. Pourtant, il s'agit d'une région à civilisation précoce. C'est en effet le pays des Mayas.

Les Indiens Mayas se sont établis ici vers 800 avant J.-C. Ils vivaient dans des huttes semblables à celles des villages d'aujourd'hui. De nombreux touristes viennent voir les fameuses ruines de Chichén Itzá, Uxmal, Palenque et Chiapas. On peut y admirer d'impressionnants temples, pyramides, palais et tombeaux.

Les Mayas possédaient déjà un observatoire pour regarder les étoiles et les planètes. Le calendrier maya était plus compliqué que le nôtre. Il divise l'année en 18 mois. Il y a 1 000 ans, l'empire maya s'est étendu à presque toute l'Amérique Centrale. On ne comprend pas pourquoi il s'est soudainement éteint vers 900 après J.-C.

Les plantes sont très importantes dans le Yucatán. L'agave d'Amérique est dotée de fibres solides, utilisées pour les cordages. Plus de la moitié de la production mondiale d'agave vient d'ici. On gemme les sapotiers pour en récolter le *chicle*, une sorte de latex traité en usine pour la fabrication du chewing-gum.

▷ Le peuple maya pratiquait un jeu sacré sur des cours pour jeux de balle. Les joueurs essaient de faire entrer une balle en caoutchouc dans un anneau de pierre en s'aidant de leurs épaules ou de leurs hanches. On a découvert une de ces cours près du Temple des Guerriers à Chichén Itzá.

▷ Le Temple des Guerriers à Chichén Itzá, un grand site maya dans le Yucatán. Le temple est construit sur une plate-forme en terrasses. Chichén Itzá a probablement été fondée par des tribus mayas aux environs de 450.

Les États du sud

Le fleuve Rio Hondo constitue la frontière entre le Mexique et le petit État de Belize. Plus à l'ouest, le Rio Usumacinta coule à travers une épaisse forêt tropicale et fait partie de la frontière du Guatemala. Plus à l'ouest, tu franchis l'État de Chiapas pour aboutir à Oaxaca.

Oaxaca est l'un des États mexicains les plus variés. Il regroupe de longues plages sur la côte Pacifique. Dans les montagnes escarpées de la Sierra Madre du sud, les forêts alternent avec les vallées profondes. Tu y verras, à côté de cela, un vaste territoire couvert de cactus et de broussailles. Oaxaca est riche en minerais tels que l'argent, l'or, le charbon, l'uranium et l'onyx. Pourtant, c'est l'État le plus pauvre du pays.

Tu es au pays des Indiens Mixtèques et Zapotèques. Le plus connu des Zapotèques est Benito Juárez. Originaire d'une famille de paysans pauvres, il est devenu Président du Mexique en 1858. Son mandat a été interrompu pendant 4 ans, lorsque les Français ont envahi le pays et fait de l'archiduc Maximilien d'Autriche l'empereur du Mexique.

La ville d'Oaxaca n'a pas été touchée par l'industrialisation et l'arrivée en masse de nouveaux habitants. De nombreux festivals de musique et de danse y ont lieu. Les produits de l'artisanat sont vendus au marché : couvertures et châles tissés et très colorés.

Les premiers habitants d'Oaxaca furent les Indiens. C'était il y a 6 000 ans. Les Espagnols sont arrivés vers 1500. Il subsiste toujours quelque 17 peuplades indiennes dans les nombreux petits villages.

Tous les Mexicains sont fiers de leur passé, mais le Mexique est aussi une nation tournée vers l'avenir. Ton voyage à travers ce pays t'a permis d'en connaître les contrastes. Les pyramides et temples indiens, les grandes montagnes et les volcans, les gratte-ciel de Mexico, tout cela fait partie du Mexique moderne.

26

△ Poteries noires émaillées et autres produits de l'artisanat, en vente au marché d'Oaxaca, ville connue pour ses ouvrages tissés, ses paniers, son verre soufflé, son bois taillé, ses articles en cuir.

◁ Des gens des villages voisins se rassemblent aux marchés de Chiapas et d'Oaxaca. Leurs vêtements très colorés varient d'un village à l'autre.

En bref

Les États-Unis du Mexique
Le Mexique est une république fédérale regroupant 31 États plus le District Fédéral de Mexico. Le chef de l'État est le Président, élu pour six ans. Son mandat n'est pas renouvelable. Le Président choisit son Conseil des Ministres. Chaque État possède également un chef élu par le peuple : c'est le gouverneur.

Population
Le Mexique enregistre 2,5 millions de naissances par an. Sa population est jeune. La moitié a moins de 20 ans. Cette situation a amené des problèmes de chômage. Beaucoup de jeunes essaient de trouver un emploi aux USA à la fin de leur scolarité.

À peu près 60 pour-cent des Mexicains sont *mestizos* ayant des ancêtres indiens et européens. Quelque 25 pour-cent sont Indiens et environ 15 pour-cent sont d'origine européenne, asiatique et africaine.

Religion
La majorité (93 %) des gens suivent la religion catholique romaine.

Monnaie mexicaine
L'unité monétaire est le *peso* dont la centième partie est le *centavo*.

Fuseaux horaires
Le Mexique est divisé en 4 zones horaires distancées d'une heure. La presqu'île de Yucatán vit à l'heure orientale, la zone centrale à l'heure du centre (GMT 6), la région occidentale à l'heure des montagnes (GMT 7) et la Basse-Californie à l'heure du Pacifique (GMT 8). D'est en ouest, tu gagnes une heure à chaque zone.

Littoral
Le Mexique a presque 10 000 km de côtes : 7 150 km le long de l'océan Pacifique et 2 760 km le long de l'océan Atlantique. Il y a beaucoup de petites îles au large de ces côtes. Leur superficie totale est de 5 360 km².

◁ Jeunes enfants en tenue traditionnelle. On parle au Mexique plus de 50 langues indiennes. Beaucoup d'enfants n'apprennent plus que l'espagnol à l'école.

Agriculture

En raison du climat sec et des montagnes accidentées, seule une petite partie du sol peut être utilisée pour les cultures. On récolte principalement du coton, du café, des fruits, du blé, du sorgho, du maïs, du sucre de canne et des légumes. Le Mexique est le dixième producteur mondial de viande. On élève le bétail dans les régions arides du nord et les moutons paissent dans le Plateau Central. Les sols les plus accidentés ne sont accessibles qu'aux chèvres.

Les propriétaires terriens

Avant la Révolution, il y avait au Mexique de grandes propriétés foncières appelées les *haciendas*. Elles étaient aux mains de quelques richissimes Mexicains. Depuis, de nouvelles lois ont permis d'établir un nouveau système. Aujourd'hui, c'est l'État qui possède la terre et la divise en petites entreprises agricoles. Les familles de fermiers travaillent pour se nourrir et vendent leurs surplus sur le marché.

Les peintures murales

L'un des grands arts mexicains est la peinture murale. Avant la conquête espagnole, ces murals étaient l'art de la culture maya. De splendides exemples peuvent être admirés dans de nombreux temples mayas. Cet art a connu une reviviscence durant ce siècle. L'un des plus célèbres peintres mexicains de murals était Diego Rivera (1886-1957). Influencé par les Aztèques et les Mayas, Rivera a peint la surface de nombreux murs gigantesques des bâtiments publics, principalement à Mexico. Ces murals dépeignent des moments de l'histoire, de la politique et de la société mexicaines.

La langue

Lorsque les Espagnols ont conquis le Mexique, ils ont amené avec eux leur langue. De nos jours, les Mexicains parlent espagnol. Essaie de prononcer des mots en espagnol !

bonjour	hola
au revoir	adiós
s'il-vous-plaît	por favor
merci	gracias

△ Théâtre avec un mural de Diego Rivera

29

La musique traditionnelle

Les musiciens villageois jouent de la trompette, de la guitare, du violon et du *marimba* (sorte de xylophone dont chaque lame est munie d'un résonateur en bois et sur lequel on joue avec des marteaux doux). Partout, tu peux entendre des orchestres *mariachi* composés de trompettistes, de guitaristes, de violonistes et d'un chanteur.

Festivals

Chaque ville et village du Mexique célèbrent une *fiesta* (festival) en l'honneur du saint local. Il existe beaucoup d'autres célébrations, y compris les principales festivités de l'Église et les fêtes nationales. Beaucoup de fiestas sont un mélange de vieux rites indiens et de pratiques chrétiennes. En voici quelques exemples :

5 février	Fête de la Constitution (1917)
21 mars	Naissance de Benito Juarez (1806)
16 septembre	Fête de l'Indépendance (1810)
2 novembre	Jour des Morts : fête aztèque au cours de laquelle les Mexicains se souviennent de leurs parents et amis décédés.
20 novembre	Fête de la Révolution (1910)
16-24 décembre	*Posadas* : fête chrétienne en souvenir du voyage de Marie et Joseph à Bethléem.
25 décembre	*Navidad* : Jour de Noël

◁ Le 12 décembre, des gens venus de tout le pays rendent hommage à Notre-Dame de la Guadeloupe. Ils honorent ainsi la sainte patronne nationale. Le spectacle est en grande partie de style indien.

Av. J.-C.	Chronologie
10 000-5 000	Des chasseurs nomades primitifs sont à la recherche de nourriture.
1 500	Établissement de villages agricoles avec de nouvelles variétés de maïs, haricots et courges. Début du commerce entre les communautés
1 200-400	Civilisation Olmèque dans la vallée Oaxaca. Élaboration d'un calendrier. Écriture primitive
± 800	Apparition de la culture maya

Ap. J.-C.	
600	Les Mixtèques rédigent le plus vieux livre du continent américain sur de la peau de cerf.
900	Déclin des villes mayas
1200-1521	Empire aztèque
1325	Les Aztèques fondent Tenochtitlán, leur ville capitale.
1502-1520	Montezuma règne sur les Aztèques.
1519	Hernán Cortés fonde Veracruz.
1521	Victoire de Cortés sur les Aztèques
1526	Des moines dominicains convertissent les Indiens au catholicisme. Construction de monastères et d'églises
1535	Le Mexique devient vice-royauté espagnole et partie de la Nouvelle Espagne.
1551	Université de Mexico: fondation
1808-1821	Le Mexique se bat pour son indépendance.
1824	Le Mexique devient une république.
1845	Les USA annexent le Texas.
1848	Fin de la guerre entre les États-Unis et le Mexique. Le Mexique perd plusieurs États, y compris la Californie.
1857-1860	Guerre civile. Benito Juarez est élu Président.

1861	Débarquement des troupes françaises à Veracruz
1864	L'archiduc Maximilien de Habsbourg devient empereur
1867	Départ des troupes françaises. Maximilien est exécuté. Juarez reprend la présidence.
1876-1911	Dictature de Porfirio Díaz.
1890	On trouve du pétrole au large de Tampico.
1910	Début de la révolution mexicaine
1917	Une nouvelle Constitution est promulguée par le Congrès.
1920	L'Église Catholique Romaine combat le gouvernement et perd ses propriétés et son pouvoir.
1929	Le Parti révolutionnaire institutionnel est fondé. Il rassemble les plus importantes forces politiques du Mexique.
1931	Le Mexique se joint à la Ligue des Nations.
1938	Le Président Lázaro Cárdenas nationalise les compagnies de pétrole qui servaient jusque là les intérêts britanniques et américains.
1942	Guerre contre l'Allemagne
1943	Naissance de la sécurité sociale
1953	Les femmes ont le droit de vote.
1968	Jeux Olympiques d'été à Mexico
1970	Finales de la Coupe du Monde de Football au Mexique
1985	Un séisme dévaste des quartiers entiers de Mexico.
1986	Finales de la Coupe du Monde de Football au Mexique
1988	L'ouragan Gilbert s'abat sur l'île Cancún, station balnéaire de l'État de Quintana Roo.

Index